Loi 49 956 du 16 juillet 1949,
sur les publications destinées à la jeunesse.
Dépôt légal : septembre 2017
ISBN 978-2-211-20004-2

Mise en pages : *Architexte*, Bruxelles
Photogravure : *Media Process*, Bruxelles
Imprimé en Belgique par *Daneels*

LE CODE DE LA ROUTE

Mario Ramos

Pastel
l'école des loisirs